さっそく読《よ》んでみよう!

マイコンと鬼太郎《きたろう》の決着《けっちゃく》はいかに!?

【新装版】水木しげるのおばけ学校⑪
おばけマイコンじゅく

登《とう》場《じょう》人《じん》物《ぶつ》

アナウンサー
マイコンじゅくの先生《せんせい》
おばけマイコン
学術会議議長《がくじゅつかいぎぎちょう》
豆《まめ》だぬき
タマシイ
千年老人《せんねんろうじん》

不《ふ》思《し》議《ぎ》事《じ》件《けん》解《かい》決《けつ》

ここは東京《とうきょう》のはずれ、豆《まめ》だぬき村《むら》。
山田《やまだ》さんというひとりのサラリーマンが、
ねずみ仙人《せんにん》をたずねてきました。
「もしもし、ここでは、ふしぎな事件《じけん》を
解決《かいけつ》していただけるわけですか。」
「モチロン。」
はりきってこたえたのは、
なんと、ねずみ男《おとこ》。ねずみ仙人《せんにん》などと名《な》のって、
また、なにかたくらんでいるようです。

「じつは、このとなりの土地《とち》に家《いえ》をたてようとしたところ、豆《まめ》だぬきがとびでてきまして……。」

「なに、豆《まめ》だぬき⁉」

ねずみ男《おとこ》は、とびあがりました。

「それが、一匹《ぴき》や二匹《ひき》ではないんです。」

「それは、たいへんだ。豆《まめ》だぬきというのは、人《ひと》を化《ば》かしますからね。家《いえ》をたてるまえに、たいじしておかれるのが一番《ばん》です。」

「では先生《せんせい》、たいじしていただけるのですね。」

山田《やまだ》さんは、うれしそうに言《い》いました。

「そうね、百万円《えん》もあればね……。」

「百万円《えん》‼」

あまりの高《たか》さに、山田《やまだ》さんは、かえろうとしました。

「アッと、きょうは開店《かいてん》記念《きねん》料金《りょうきん》の日《ひ》になって
いましたね。五割引《わりびき》の五十万円《えん》です。」
それでも、山田《やまだ》さんはかえろうと
しました。ねずみ男《おとこ》は、
あせって言《い》いました。
「では、大《おお》まけにまけて、
一万円《えん》ではどうでしょう！」
「よろしい。それで手《て》を
うちましょう。」
山田《やまだ》さんは、ねずみ男《おとこ》を、
自分《じぶん》の土地《とち》にあんないしました。
「ここです。」
「なるほど。くせものは、このつかだな。」

ガラガラガラー

ねずみ男《おとこ》は、つかをこわそうとしました。

「先生《せんせい》、これ、こわしてもいいのですか。」

山田《やまだ》さんは、不安《ふあん》でいっぱいです。

「あんたは、しろうとだから、だまっていなさい。」

ねずみ男《おとこ》が、つかをこわすと、
下《した》のほうから、ソフトボールに
毛《け》のはえたようなものが
出《で》てきました。

ポーン、ポン、ポン、ポン、
ポンポ――ン。

「これは、なんですか？」
「これが豆《まめ》だぬきの
親方《おやかた》です。」

クルッ
ドン
ポン

「にげたようですが……。」

「だいじょうぶです。豆《まめ》だぬきの親方《おやかた》のわき腹《ばら》を、必殺《ひっさつ》ねむりげりで、けりあげておきましたから。」

「ほんとに、だいじょうぶですか。」

山田《やまだ》さんは、あくまでも不安《ふあん》です。

「ワシの弟子《でし》には、鬼太郎《きたろう》以下《いか》、妖怪《ようかい》が百匹《ぴき》ばかりいる。すなわち、ワシは、その道《みち》の専門家《せんもんか》です。」

「あっ、おみそれいたしました。そんなエライお方《かた》とは知《し》らなかったものですから。」

「ラクしてお金《かね》をもうけるのが、ねずみ仙人《せんにん》のエライところです。早《はや》くお金《かね》をもってきなさい。」

というわけで、豆《まめ》だぬき村《むら》に、めでたく山田《やまだ》さんの家《いえ》が完成《かんせい》しました。

「ぼくのへや、ここだね。」

ケン太《た》は、自分《じぶん》のへやができて、大《おお》よろこびです。

「ケン太《た》、よく勉強《べんきょう》して、おとうさんのように大学《だいがく》を出《で》て、りっぱなサラリーマンになるのですよ。」

「サラリーマンなんて、ぼく、きらいだなあ。」

つぎの日《ひ》です。

「ただいま。」

「あ、おとうさん、おかえりなさい。」

「ケン太《た》、いま、駅前《えきまえ》のマイコンじゅくに、もうしこんできたよ。」

「うわーっ、うれしい。マイコンで遊《あそ》べるんだね!」

「ばかッ、マイコンで、きびしい勉強《べんきょう》をするんだよ。」

「じゃあ、マイコン学習《がくしゅう》じゅく?」

「そうとも!」

学校《がっこう》からかえると、ケン太《た》はマイコンじゅくにいきました。
ところが、マイコンは機械《きかい》だけに、先生《せんせい》よりつめたくきびしいのです。
そのうえ、じゅくの先生《せんせい》がロボットマニアときているから、たまりません。

同《おな》じしつもんを、三回《かい》
まちがえると、赤《あか》ランプがつき、
ロボットがビンビーンと、
頭《あたま》をひっぱたきます。
にげようとすると、
長《なが》い手《て》がのびてきて、
つれもどされます。

PULL-ON/VOL
CONTRAST

ケン太《た》は、じゅくからかえると、
もうクタクタです。ふろに入《はい》るのもわすれて、
ねてしまいます。
「カー、カー。」
「なんだ、ケン太《た》は。へやをこしらえて
やったのに、ねてばかりいるじゃないか。」
おとうさんは、ガッカリです。
「なんでも、マイコンじゅくで、
つかれるらしいの。」
「ばかな。そんなことで、どうして
いい学校《がっこう》に入《はい》れるかね。」

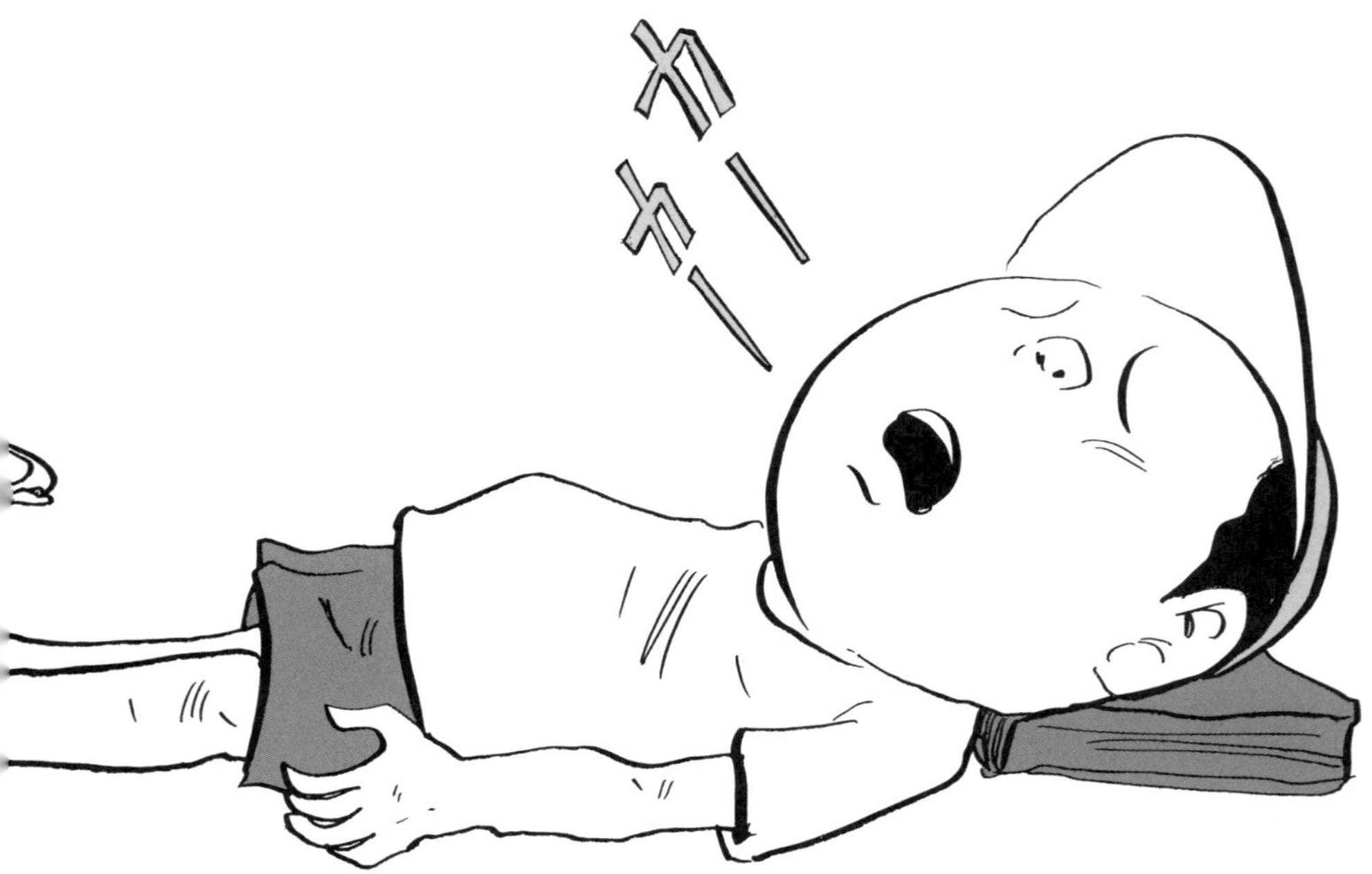

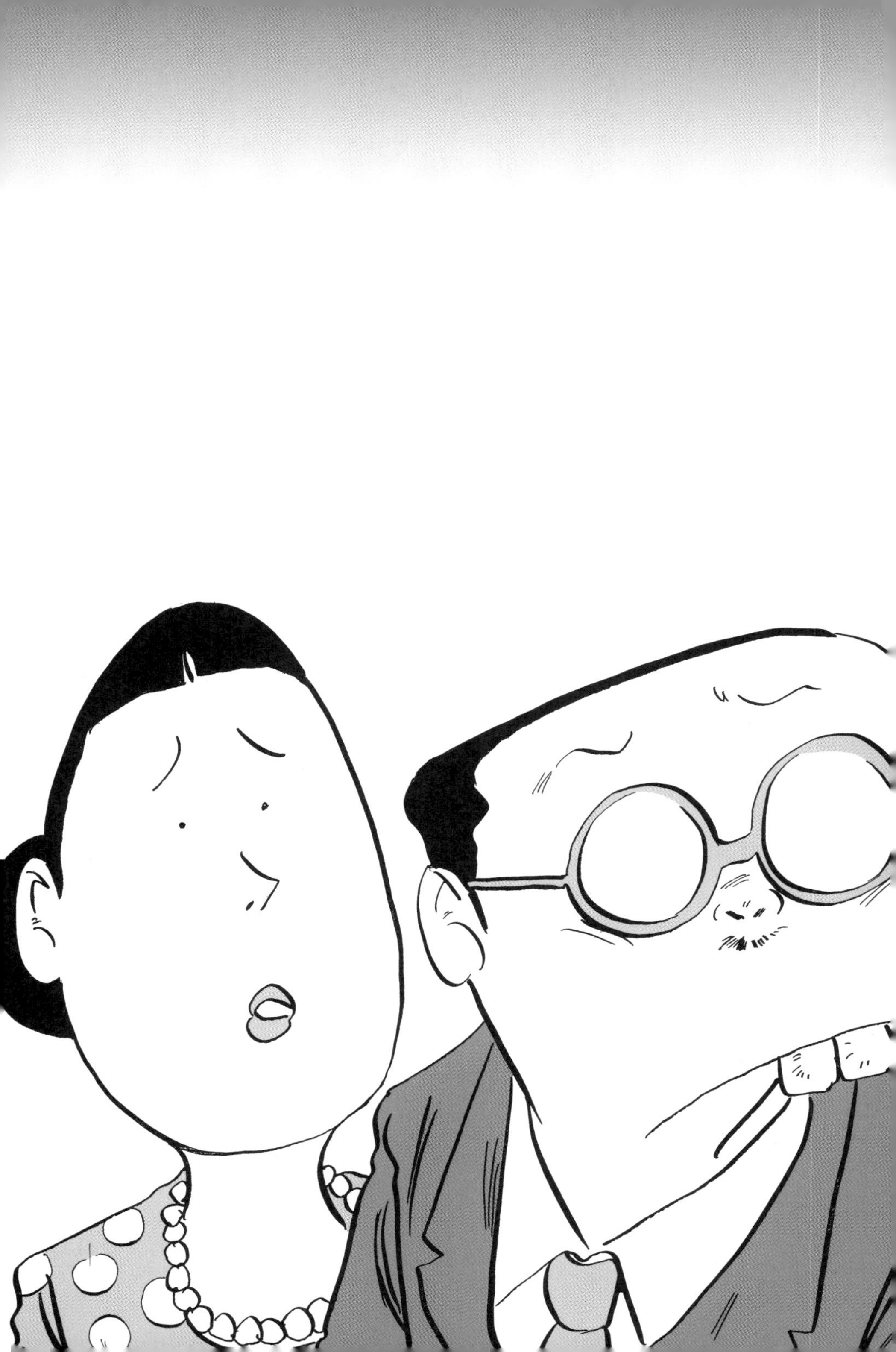

「そうねえ、ケン太《た》の頭《あたま》では、人《ひと》の三倍《ばい》勉強《べんきょう》しないと、だめですね。」

「ビシビシやらなきゃあ。」

「かわいそうだけど、それがケン太《た》のためね。」

おとうさんは、カバンから、なにやらとりだしました。

「デパートで、スパルタのムチを買《か》ってきたよ。」

「まあ、スパルタのムチ!!」

「これで、勉強《べんきょう》にも熱《ねつ》が入《はい》るだろう。」

スパルタのムチ

あくる日《ひ》も、ケン太《た》は、フラフラになって、マイコンじゅくからかえってきました。ねようとすると、

「だめ！」

と、鬼《おに》のような顔《かお》をしたおかあさんが、スパルタのムチをふりあげます。

「おかあさん、どうしたの？」

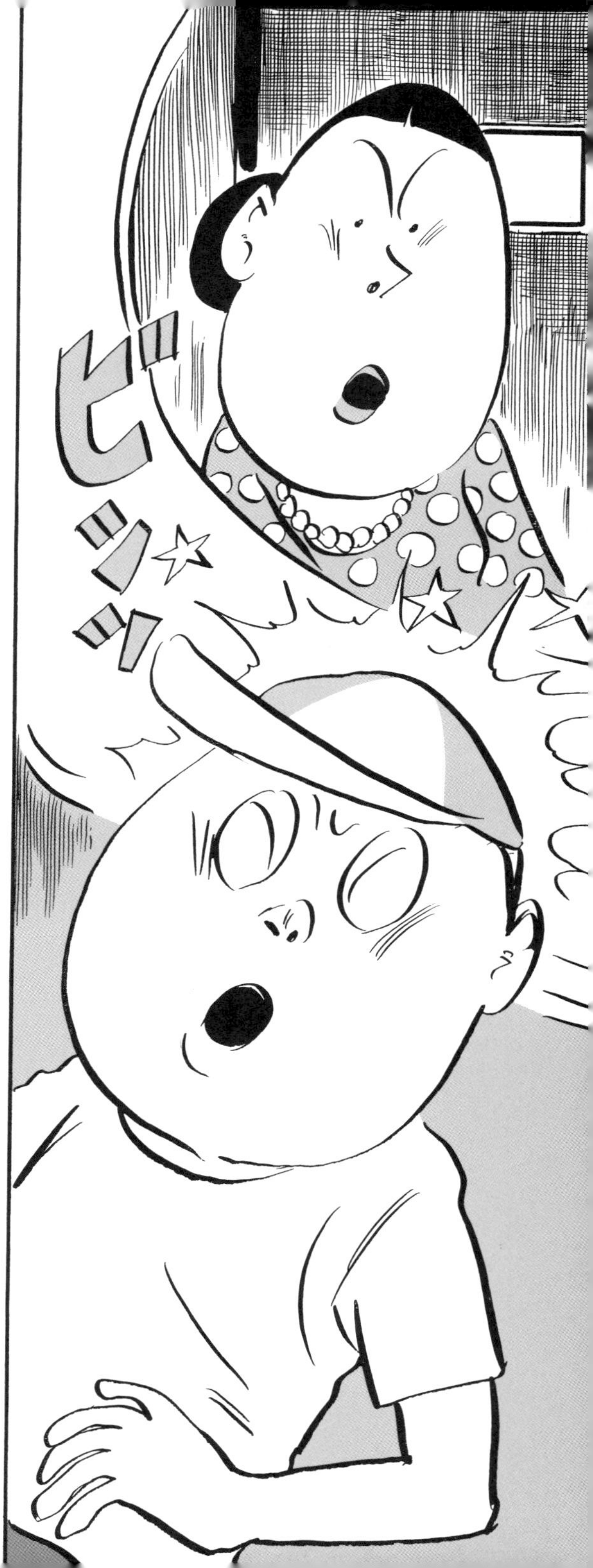

「なにごとも、タマシイを入《い》れてやらないと、いけないわ。」

「もういちど、マイコンじゅくにいって、勉強《べんきょう》しなさい。」

「また、いくの!?」

「タマシイを入《い》れて、もういちどいってらっしゃい!」

「きびしいなあ。」

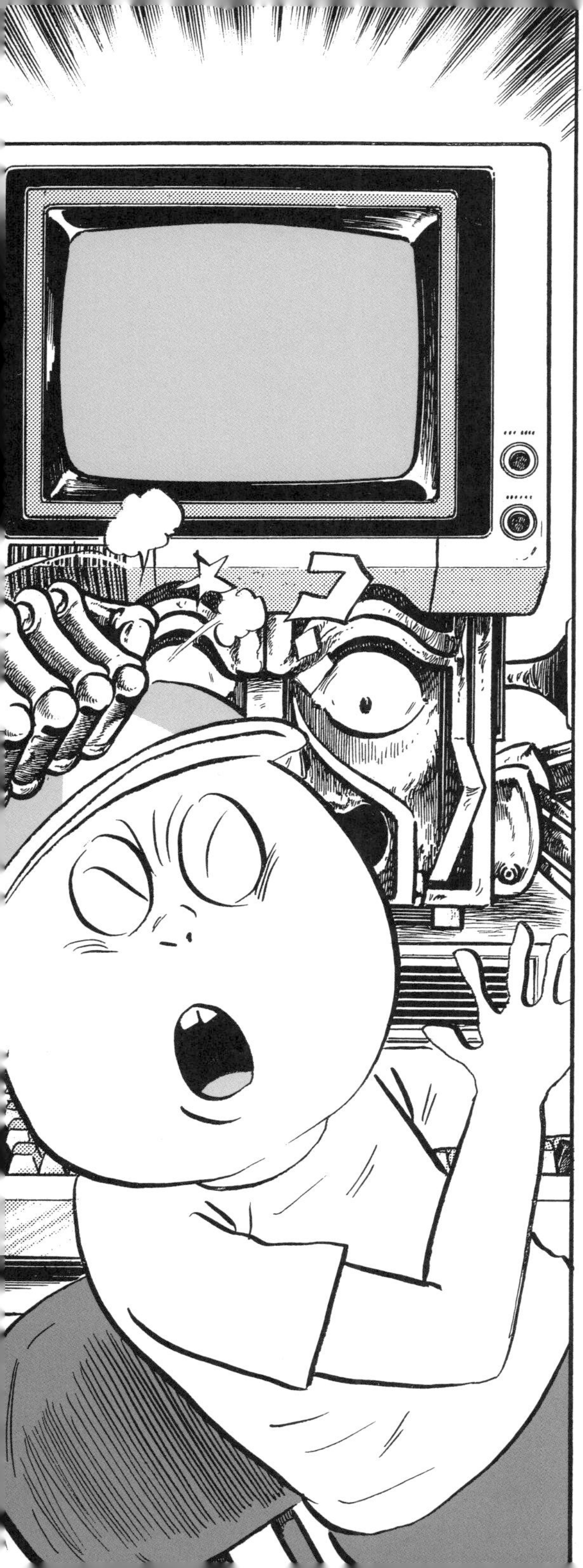

毎日《まいにち》、マイコンじゅくにかよって、
いっしょうけんめいマイコンにとりくんでいるうちに、
ケン太《た》は、タマシイがぬけたようになってしまいました。
「ケン太《た》、どうしたの!?」
おかあさんが、話《はな》しかけても、へんじもしません。
ケン太《た》はコンニャクみたいになって、ねてしまいました。

医者《いしゃ》にみてもらっても、けんとうのつかない病気《びょうき》で、病名《びょうめい》もつかないありさまです。

「新《あたら》しく病名《びょうめい》をつけるとすれば、コンニャク病《びょう》かな。いや、トコロテン病《びょう》としてもよい。」

「病名《びょうめい》はいいとして、入院《にゅういん》させてください。」

「病名《びょうめい》がわからんのに、入院《にゅういん》させても、なおしようがないでしょう。」

「なるほど。」

ケン太《た》は、
ごはんだけは、パクパク食《た》べます。
しかし、ひとことも、しゃべりません。
「勉強《べんきょう》、勉強《べんきょう》って、言《い》いすぎたかしら。」
おとうさんもおかあさんも、こまって
しまいました。

「あ、そうだ。あのねずみ仙人《せんにん》に、たのんでみよう。」

山田《やまだ》さんのほうもんをうけたねずみ男《おとこ》は、まってましたと、とんできました。

「一万円《えん》、用意《ようい》できますかな?」

またもや、もうけるつもりです。

「はは、ケン太《た》のことなら、一万円《えん》はおしくありません。」

山田《やまだ》さんは、ねずみ男《おとこ》に、くわしくじじょうを説明《せつめい》しました。

「これが、ケン太《た》くんだね。なるほど。」

ねずみ男《おとこ》は、いきなりケン太《た》の
ほっぺたを、ペチペチと、
たたきはじめました。
「先生《せんせい》、ケン太《た》をたたいて、
肉《にく》だんごにでもしようと
されるんですか！」
「いえ、病名《びょうめい》をさぐっているのです。
どうやら、マイコンじゅくが原因《げんいん》ら
しいナ。」

「ほっぺたをぶっただけで、わかるのですか。」

「モチロン。わたしは、その道《みち》の専門家《せんもんか》ですから。」

ねずみ男《おとこ》は、わかったようなわからないことを言《い》います。

ねずみ男《おとこ》は、マイコンじゅくに、
ちょうさに出《で》かけました。
じゅくの先生《せんせい》も、立《た》ちあいました。
ためしに、ねずみ男《おとこ》が、
もんだいをとこうとすると、
マイコンは、答《こた》えがあっているのに、
「バカヤロ」などと、
ふざけたことを言《い》います。

バカヤロ
ガチャガチャガチャ

ばかやろう！

「なんだと、コノヤロ！
機械《きかい》のぶんざいで、なまいきだぞ。」
おこったねずみ男《おとこ》は、マイコンを
なぐりつけました。

ところが、ぎゃくに、
ねずみ男《おとこ》は、マイコンの中《なか》に、
ひきずりこまれてしまいました。
「ウギャー！」

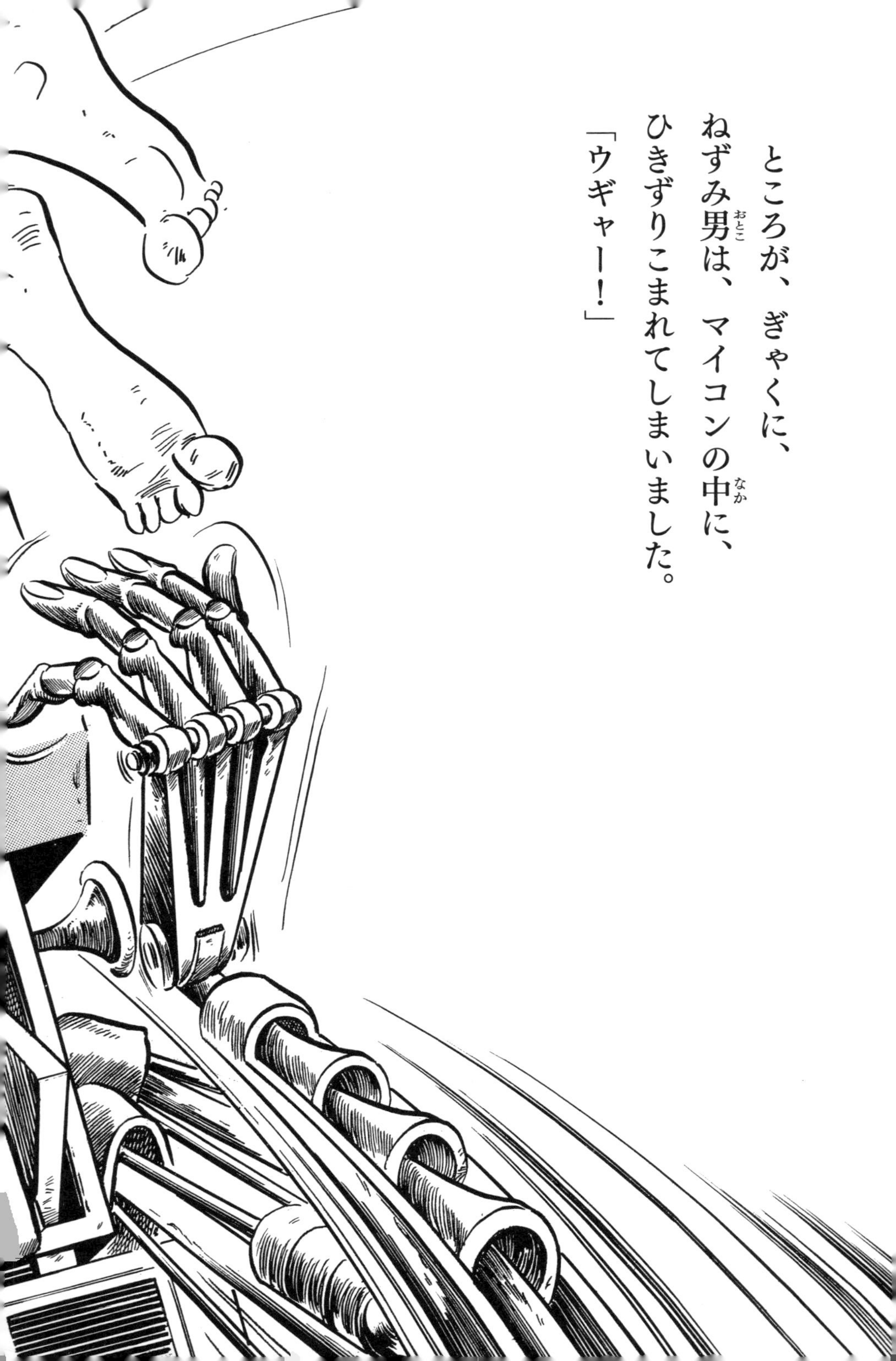

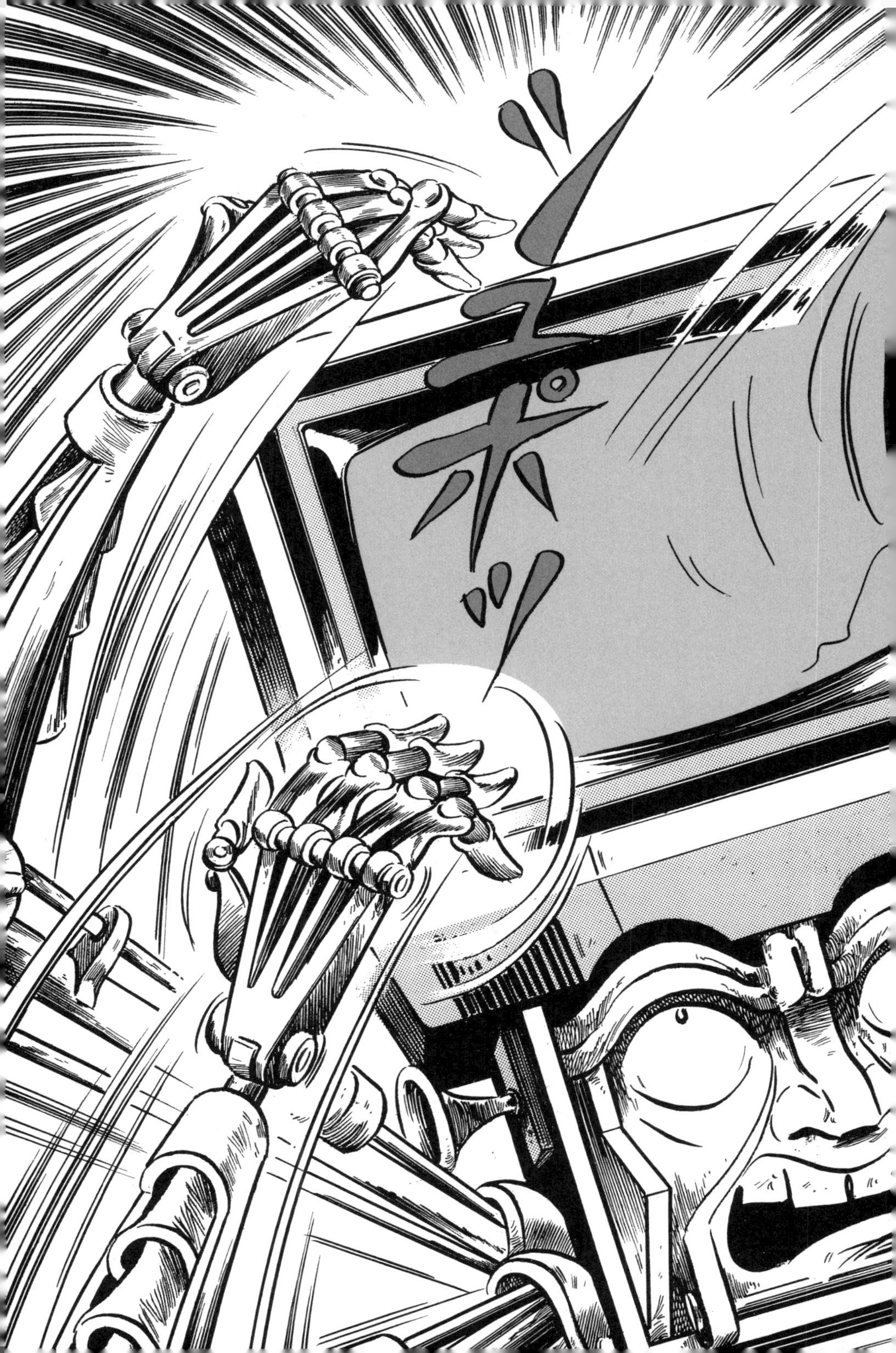
ズポッ

「たいへんだ！　ねずみ先生《せんせい》が、マイコンの中《なか》に、入《い》れられてしまった！」

「おーい、たすけてくれー！」

ねずみ男《おとこ》は、マイコンの中《なか》で、あわれな声《こえ》を出《だ》しています。

マイコンじゅくの先生《せんせい》は、

「こんなバカなこと、あるはずありません。マイコンは、プログラムどおりに、動《うご》くのです！」

と言《い》って、プログラムをとりだそうとしますが、じゅくの先生《せんせい》も、ひきずりこまれてしまいました。

ガガ

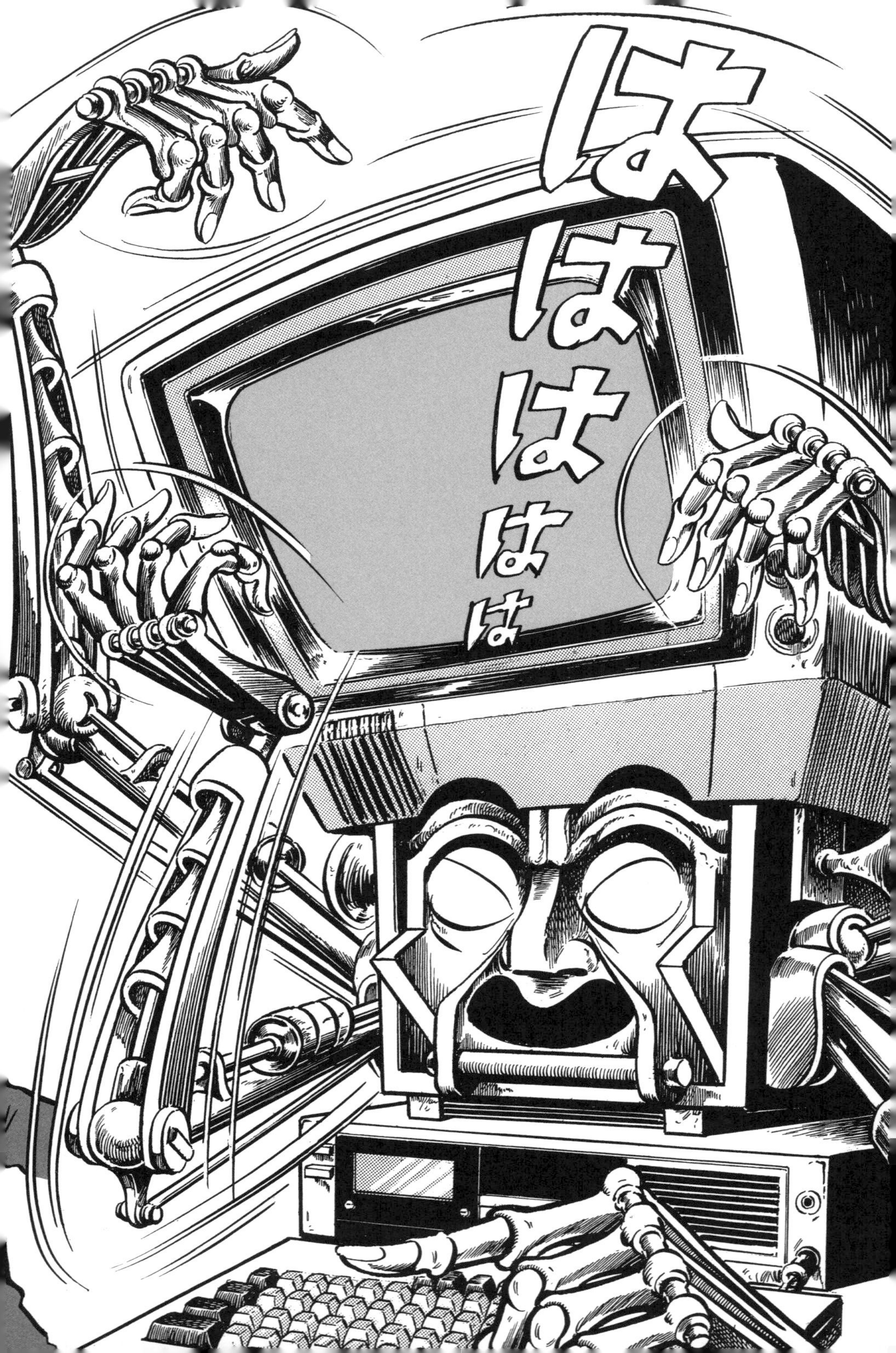
はははははは

山田《やまだ》さんは、交番《こうばん》にかけこんで、
おまわりさんをよんできました。
おまわりさんが、かけつけたころには、
マイコンじゅくのまわりは、
人《ひと》だかりでいっぱいです。
「こんなバカな話《はなし》は、世界中《せかいじゅう》に
ないだろう。」
「だいいち、ありえない話《はなし》ですよ。」
と、人《ひと》びとは、こうふんしています。

それだけでは、ありません。
早《はや》くも、テレビ局《きょく》の車《くるま》がきて、
中継《ちゅうけい》がはじまりました。
「おそらく、ねずみ男《おとこ》とじゅくの
先生《せんせい》の運命《うんめい》は、これまででしょう。
それにしても、おそろしいことです。
ついに、マイコンのおばけが
あらわれたのです！」
こんなぐあいに、アナウンサーが
しゃべったから、たいへんです。

J

新聞《しんぶん》も、まけじと報道《ほうどう》します。

「**マイコンに人《ひと》が捕《とら》わる！**

こんなことは、ありえないことです。しかし、現実《げんじつ》にふたりの人《ひと》がとらわれ、助《たす》けを求《もと》めているのです。

助《たす》けようとした先生《せんせい》まで、ひきずりこまれたところを見《み》ると、つぎに助《たす》けようとしてプログラムをいじる人《ひと》も、おそらく同《おな》じ運命《うんめい》にあうでしょう。人《ひと》びとは、きみわるがって、マイコンに近《ちか》づかないばかりか、中《なか》には、マイコンをこわしてしまえ、と言《い》う人《ひと》も出《で》るしまつです。」

9月4日
日曜日
今日新聞
マイコンに人が捕《とら》わる
政府は、マイコンじゅく事件にかん
幹部に命じる意向である。今回の調査で
はたしてマイコンが人を食うことが
を調べることにあるといわれている。
今日新聞東京本社
腹
ハラッ

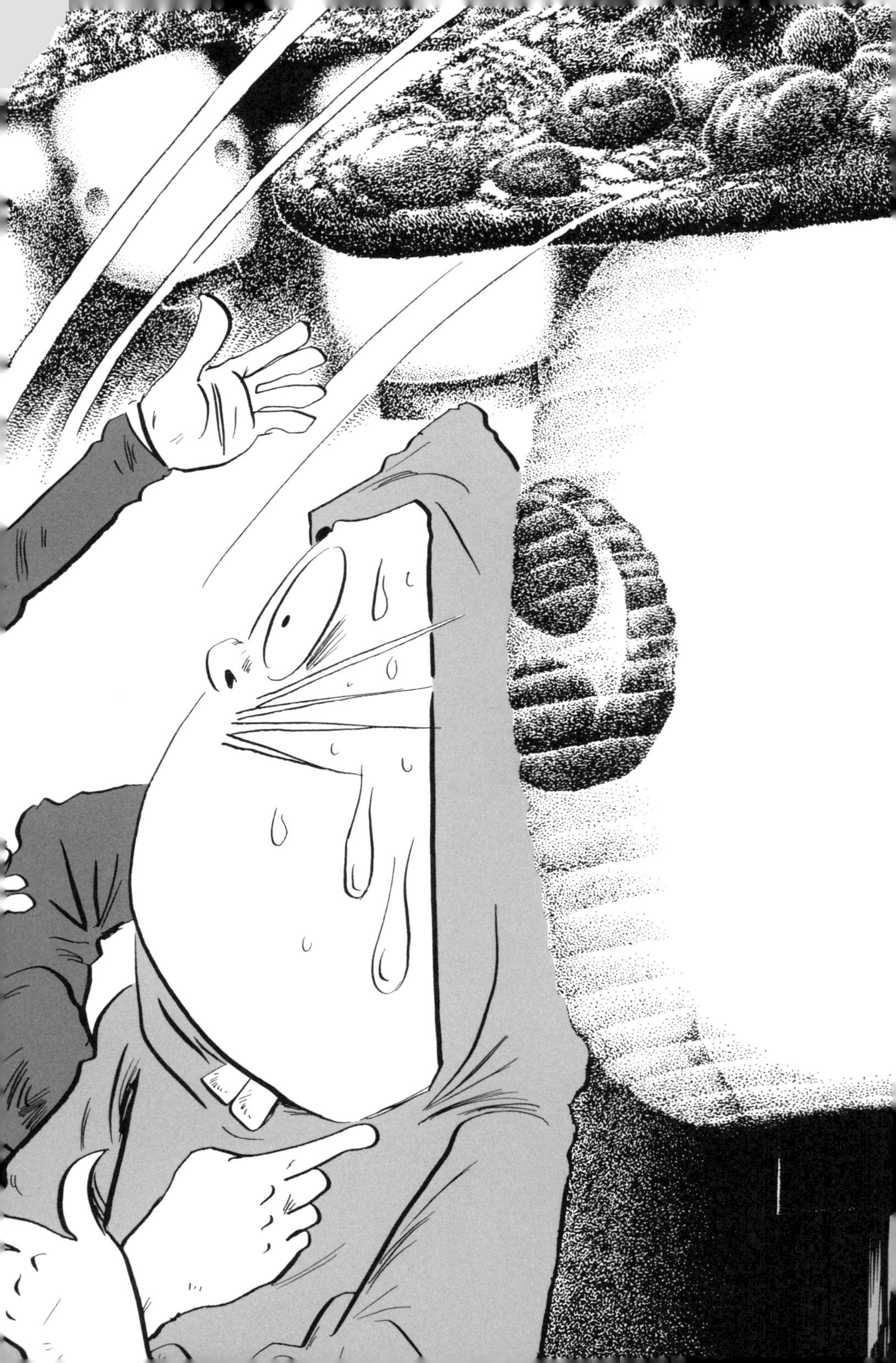

さて、こちらは、
マイコンの中《なか》。
「あーっ、ねずみ先生《せんせい》！」
「あっ、おめえもきたのか。」
「まるで、めいろのような
ところですね。」
「ウム。あっちで話《はな》し声《ごえ》が
する。いってみよう。」

近《ちか》よってみると、
見《み》たこともない
ばけものたちです。

ねずみ男《おとこ》たちは、
ばけものに、
かこまれてしまいました。
「うわーっ！」
「やめてくれー！」

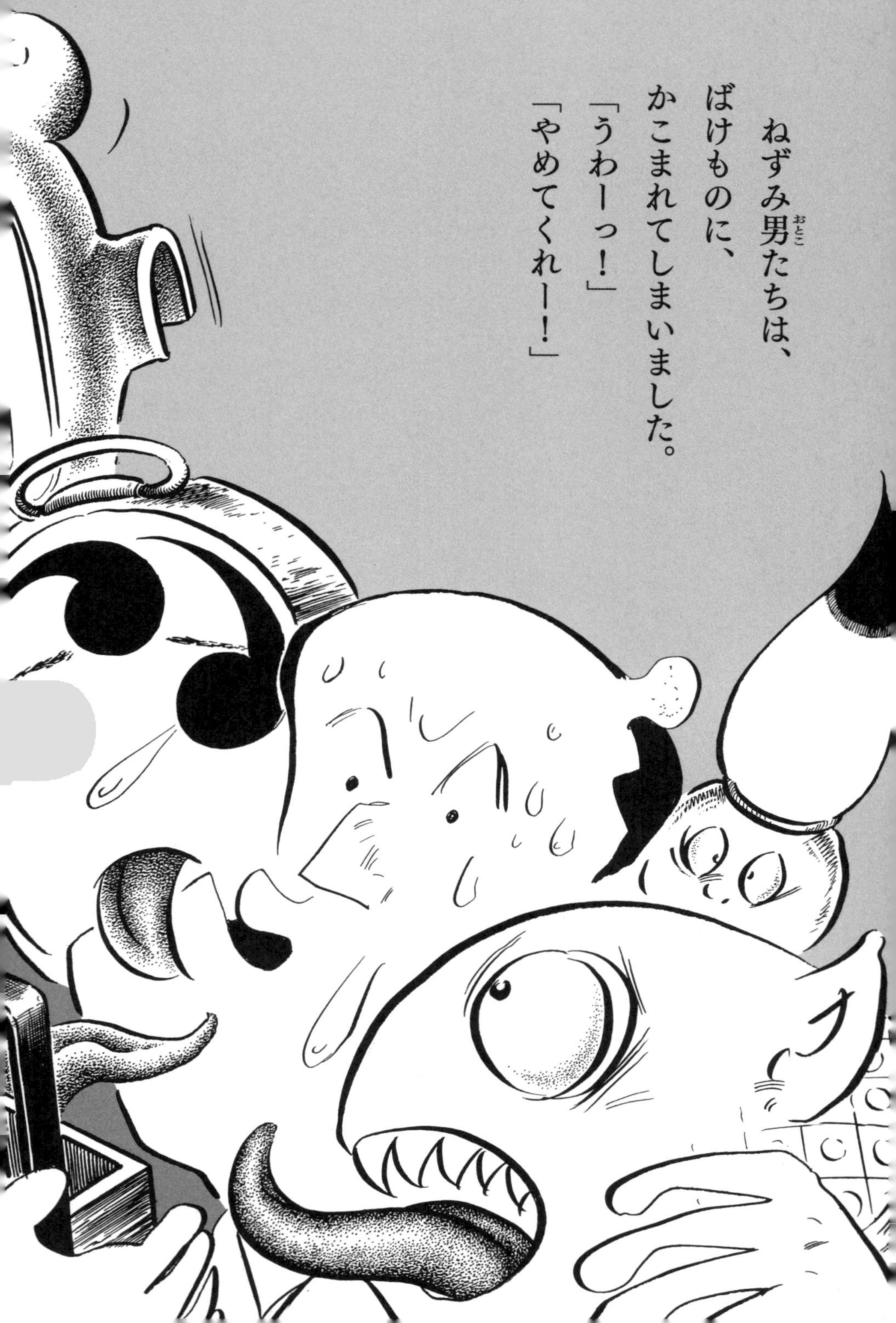

ねずみ男《おとこ》たちの苦悩《くのう》をよそに、テレビでは、

「マイコンの中《なか》に入《はい》った人間《にんげん》は、どうなるのか。」

という緊急座談会《きんきゅうざだんかい》が開《ひら》かれています。

日本学術会議《にほんがくじゅつかいぎ》の議長《ぎちょう》は言《い》います。

「結論《けつろん》から先《さき》にもうしますと、この事件《じけん》を解決《かいけつ》できるのは、鬼太郎《きたろう》の親子《おやこ》をおいてはいないでしょう。」

「どうしてですか。」

「鬼太郎《きたろう》の親子《おやこ》は、神通力《じんつうりき》をもっているからです。」

「神通力《じんつうりき》？」

「わかりやすく言《い》えば、未知《みち》の力《ちから》、魔《ま》の力《ちから》とでももうしましょうか。」

「すると、鬼太郎《きたろう》の親子《おやこ》は、
ゆうれいでも、とらえる
ことができると、
言《い》われるのですか。」
と、評論家協会《ひょうろんかきょうかい》の会長《かいちょう》が、
パイプをいじくりながら、
なまいきそうに言《い》います。

「なんという無知《むち》なことを言《い》われるのです。タマシイをとらえることができるのは、鬼太郎《きたろう》の親子《おやこ》だけです。」学術会議《がくじゅつかいぎ》の議長《ぎちょう》は、力強《ちからづよ》く、言《い》いきります。

テレビを見《み》ていたケン太《た》の友《とも》だちは、相談《そうだん》して、「妖怪《ようかい》ポスト」に、手紙《てがみ》を出《だ》すことにきめました。あて先《さき》は、もちろん「ゲゲゲの鬼太郎様《きたろうさま》」。

カラーン、コローン、
カラカラコロン。
その夜《よる》のうちに、
豆《まめ》だぬき村《むら》に、ゲタの音《おと》が
なりひびきました。
「あっ、鬼太郎《きたろう》さんだ！」
子どもたちは、さっそく、
鬼太郎《きたろう》をマイコンじゅくに
あんないしました。

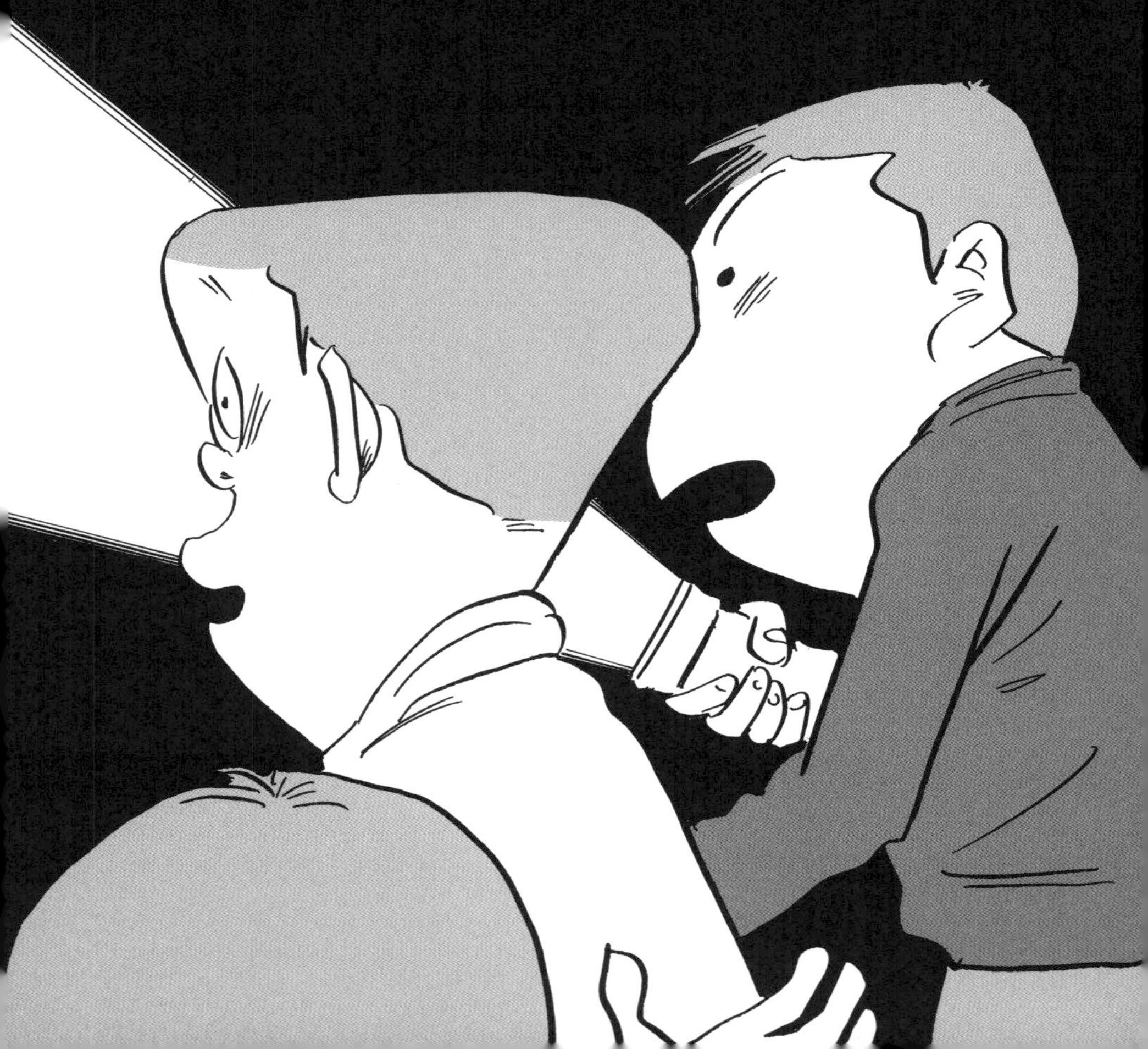

カランコロン
カラカラコロ

マイコンじゅくにつくと、鬼太郎《きたろう》は、強《つよ》い妖気《ようき》を感《かん》じました。

「鬼太郎《きたろう》さん、ねずみ男《おとこ》さんもつかまっているはずです。」

「ねずみ男《おとこ》のやつ、またなにかたくらんでいるナ。」

鬼太郎《きたろう》が、マイコンの中《なか》に入《はい》ろうと近《ちか》づくと、マイコンから四本《ほん》の手《て》が出《で》てきて、鬼太郎《きたろう》と格闘《かくとう》になりました。

はげしい戦《たたか》いです。

鬼太郎《きたろう》は、たいせつな髪《かみ》の毛《け》を、すっかりうばわれましたが、一命《いちめい》はとりとめました。なかなか、強敵《きょうてき》です。

「鬼太郎《きたろう》、不用意《ふようい》に近《ちか》づくな。マイコンは、プログラムどおりに動《うご》くのだ。あいては、プログラムをとられまいとして、むかってきたのだ。」

さすがは目玉《めだま》のおとうさん、すばやく敵《てき》を見《み》ぬきました。

「すると、敵《てき》はプログラムですね。」

「そう。プログラムに化《ば》けて、マイコンの中《なか》に入《はい》り、マイコンを利用《りよう》したのだ。」

「フーム。プログラムの中《なか》にとらわれているということは、敵《てき》の腹《はら》の中《なか》に入《はい》っているということですね。」

「そうだ。敵《てき》はおまえの髪《かみ》の毛《け》をうばって、おまえの霊力《れいりき》をおとした。」

「なかなか、やりますね。」

「感心《かんしん》している場合《ばあい》ではない。

おまえがいま使《つか》える武器《ぶき》といえば、リモコンゲタだ。」

「はい。」

「リモコンゲタふたつで、二本《ほん》の手《て》をふせげる。あとの二本《ほん》の手《て》を、おまえがふさぐのだ。そのあいだに、わしがプログラムをぬきとる。」

「では、決死《けっし》の戦《たたか》いですね。」

「もちろんだ。」

鬼太郎《きたろう》は、ねらいをさだめて、
リモコンゲタをなげつけました。
マイコンは、必死《ひっし》で応戦《おうせん》します。
目玉《めだま》は、そのあいだに、
すばやくマイコンの心臓部《しんぞうぶ》、
プログラムをはずしました。
すると、どうでしょう！
なんと、プログラムに、
しっぽがはえているでは
ありませんか。

「さては、おまえは豆《まめ》だぬきだな！」

豆《まめ》だぬきは、鬼太郎《きたろう》に見《み》やぶられて、すがたをあらわしました。

と、ただでさえ大《おお》きなたぬきのキンタマが、いように大《おお》きくふくらんでいます。

むかしから、「たぬきのキンタマ八畳《じょう》敷《じき》」と言《い》われ、キンタマを広《ひろ》げると、畳《たたみ》八枚分《まいぶん》くらいの大《おお》きさになるのです。

そのキンタマに、ねずみ男《おとこ》とじゅくの先生《せんせい》を入《い》れているので、豆《まめ》だぬきは、思《おも》うように動《うご》けません。

「ウム、そこだな！」
鬼太郎《きたろう》が、サーッと、
キンタマをやぶると、
ねずみ男《おとこ》とじゅくの先生《せんせい》が、
出《で》てきました。
と同時《どうじ》に、奇妙《きみょう》なものが、
ころがりでてきました。

「まてーっ。」
と、鬼太郎《きたろう》がつかまえると、
妙《みょう》なものは、ピクピクと、
生《い》きもののように動《うご》いています。

つぎに鬼太郎《きたろう》は、
チャンチャンコをとばして、
豆《まめ》だぬきの顔《かお》にかけました。
豆《まめ》だぬきは、いきができなく
なって、バッタリたおれて
しまいました。

この戦《たたか》いを中継《ちゅうけい》していたテレビ局《きょく》。

「どうやら、事件《じけん》は解決《かいけつ》されたもようです。ただいま、ねずみ男《おとこ》とじゅくの先生《せんせい》が、ボンヤリと立《た》っています。

それにしても、鬼太郎《きたろう》さんのつかまえたトコロテンのようなものは、なんでしょうか。ちょっと、鬼太郎《きたろう》さんにきいてみましょう。」

と、鬼太郎《きたろう》にマイクをむけました。

JRTV

「鬼太郎《きたろう》さん、これは、いったいなんでしょうか。」

「これは、ケン太《た》くんのタマシイです。あまりに熱心《ねっしん》にマイコンにうちこんだために、タマシイをうばわれるにいたったのです。」

「豆《まめ》だぬきが、うばったのでしょうか？」

「そうです。」

「しかし、どうして豆《まめ》だぬきが、ケン太《た》くんのタマシイをうばったりしたのかなあ。」

目玉《めだま》のおとうさんは、ふしぎでなりません。

「わかりませんナ。」

テレビ局《きょく》の人《ひと》も、けげんな顔《かお》。

「それは、豆《まめ》だぬきにきくしかありません。すみませんが、ビフテキを二、三枚用意《まいようい》してください。」

鬼《き》太《た》郎《ろう》が、チャンチャンコをとって、背《せ》中《なか》をドンとたたくと、豆《まめ》だぬきが目《め》をさましました。

「豆《まめ》だぬきさん、ごくろうさんでしたね。腹《はら》がへったでしょう、ビフテキをどうです？」

「なに、ビフテキを食《た》べさせてくれるのか！」

豆《まめ》だぬきは、二、三日食事《にちしょくじ》をしていませんから、むさぼり食《く》います。

「ところで、このタマシイだが、
おまえのキンタマの中《なか》に入《はい》っていた
ふたりからも、うばうつもり
だったんだろう？」
「おまえ、よく知《し》ってんなあ。」
豆《まめ》だぬきは、ビフテキにつられて、
ジャンジャンしゃべります。

目玉《めだま》のおとうさんは、つづけて
ききました。
「ところで、だれにたのまれたんだ?」
「そいつぁ、言《い》えねえ。おれは、
その人《ひと》にむかしから使《つか》われて
いるんだもの。」
「すると、おまえはそいつの
使《つか》い魔《ま》だな。」

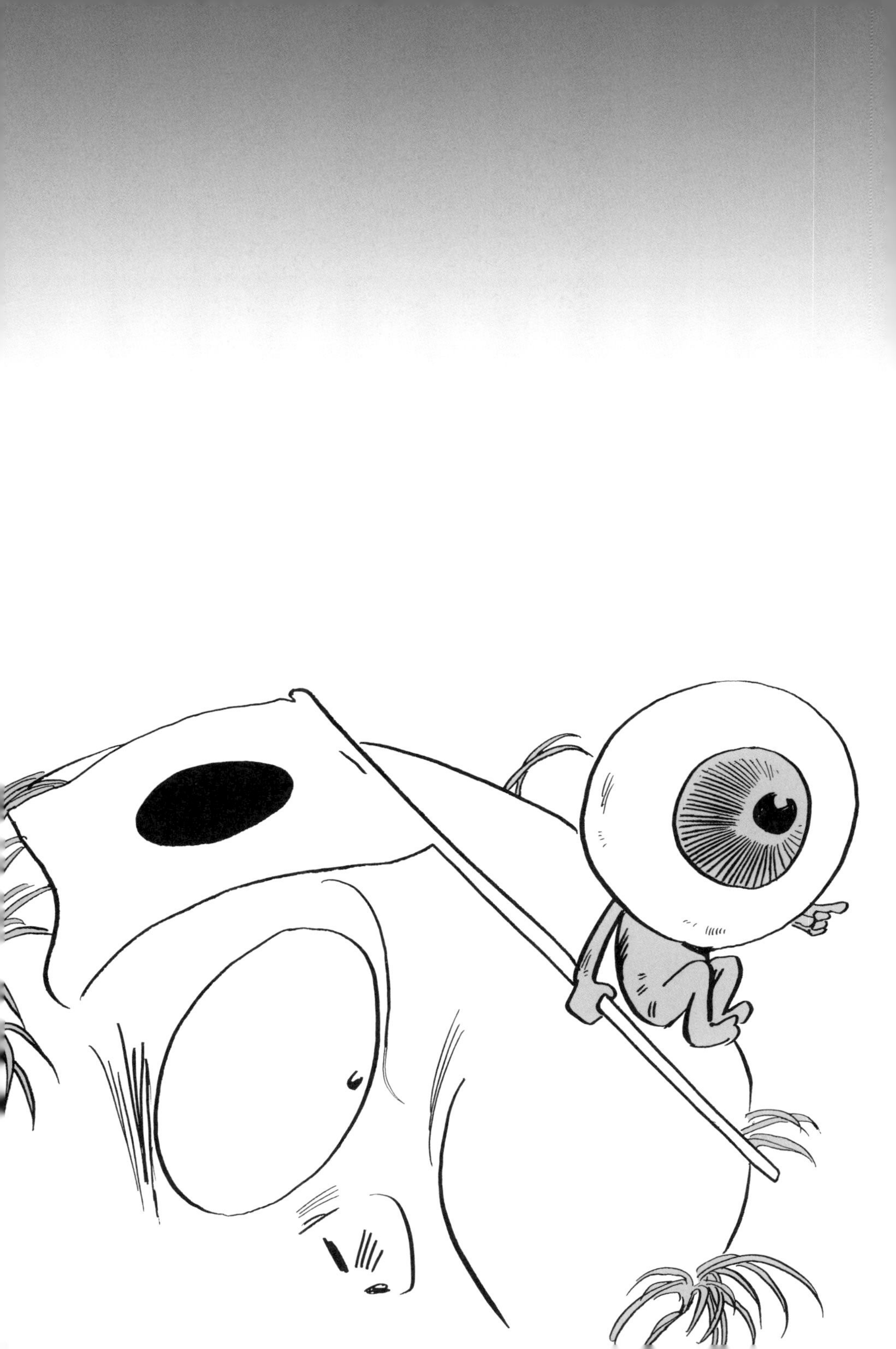

これ以上《いじょう》、はくじょうしないナ、と思《おも》った鬼太郎《きたろう》は、豆《まめ》だぬきの脳天《のうてん》に一撃《いちげき》をくわえ、夢遊状態《むゆうじょうたい》にさせました。

「豆《まめ》だぬき、ご主人《しゅじん》のところにあんないしろ。」

「ヘイ。」

夢遊状態《むゆうじょうたい》になった豆《まめ》だぬきは、フワフワとあるきだしました。

どこにいくかと思《おも》っていると、豆《まめ》だぬきはケン太《た》の家《いえ》の床下《ゆかした》にもぐりこんでいきます。

そこには、古《ふる》い石《いし》の階段《かいだん》がありました。

なんとも言《い》えない、ふしぎなふんいきがただよっています。

石《いし》の階段《かいだん》をおりきると、広場《ひろば》になっており、地蔵《じぞう》がいっぱいならんでいます。

「フム。どうやら、これはタマシイをとられた人《ひと》たちの地蔵《じぞう》らしいな。」

奥《おく》にすすむと、ひとりの老人《ろうじん》が、べつの豆《まめ》だぬきと、しょうぎをさしていました。
老人《ろうじん》は、鬼太郎《きたろう》を見《み》ると、ニカッとわらって言《い》いました。
「おまえが、鬼太郎《きたろう》かい？ ワシは、おまえがくるのをまっていたんだ。」
「きさまは、だれだ⁉」

「ワシか。
ワシは人《ひと》のタマシイを食《く》って、
千年《ねん》も生《い》きている千年老人《せんねんろうじん》じゃ。
おまえの手下《てした》のねずみ男《おとこ》が、
ワシの使《つか》い魔《ま》の豆《まめ》だぬきを、
ひどくバカにしてくれた
らしいね。」
千年老人《せんねんろうじん》は、ふたたび、
ニカッとわらいました。
「ははーん。それで、ねずみ男《おとこ》を
つかまえたってわけか。」
鬼太郎《きたろう》は、すべてが
わかりました。

「わかったかな。豆《まめ》だぬきの仕事《しごと》をじゃまされては、こまるんだよ。」
千年老人《せんねんろうじん》はいきなり鬼太郎《きたろう》をわしづかみにし、なぐりつけました。
鬼太郎《きたろう》は毛針《けばり》で抵抗《ていこう》しますが、千年老人《せんねんろうじん》はするどいツメでおそいかかります。

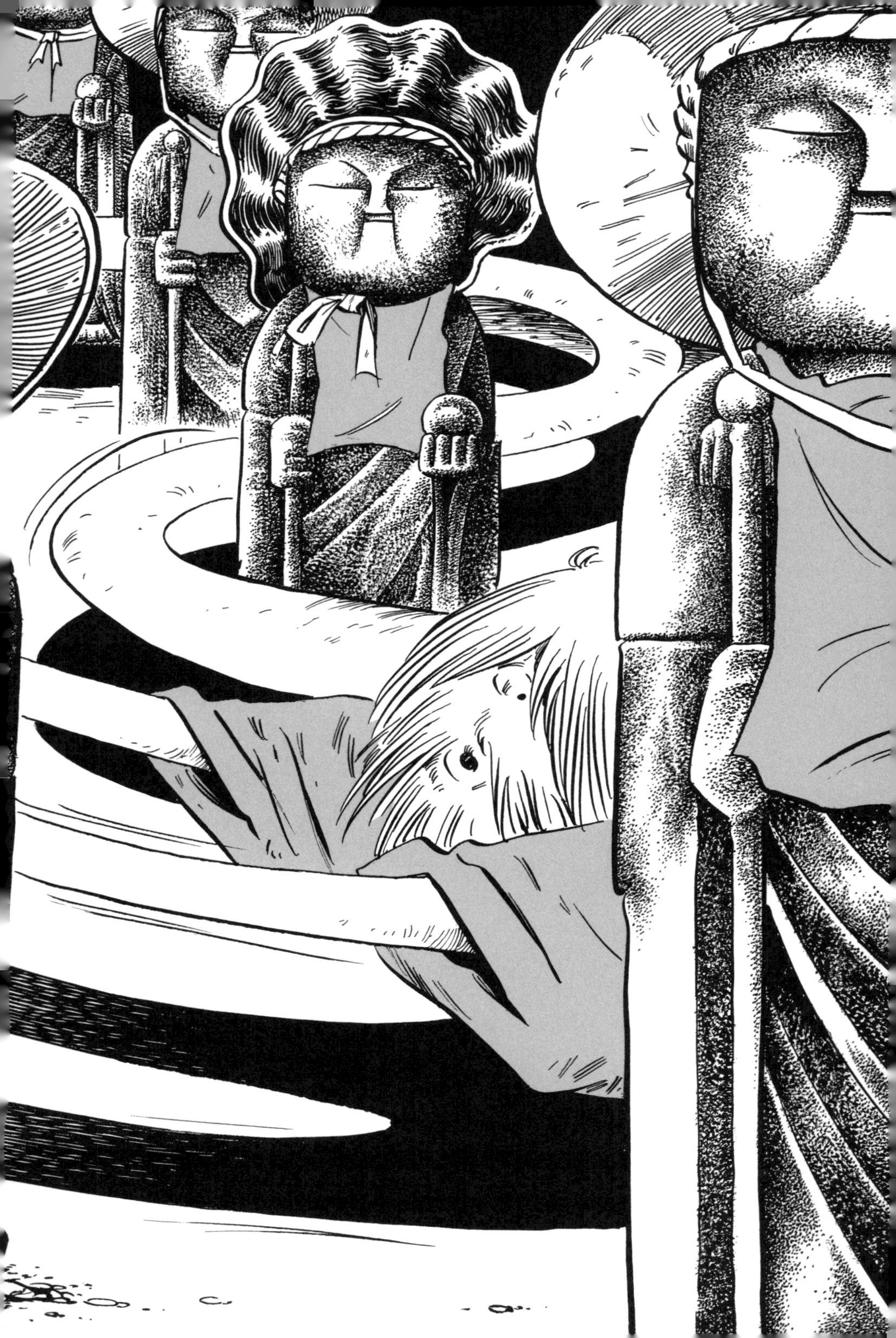

「オレさまを、なめるなよ。」
鬼太郎《きたろう》は、じょうずに
にげまわります。
「ははははは、
しゃらくせえ。」
千年老人《せんねんろうじん》は、スルスルと
追《お》いかけてきます。
ところが、これが鬼太郎《きたろう》の
作戦《さくせん》なのです。

「しまった。からまってしまった。」

「ははは、口《くち》ほどにもない老人《ろうじん》おばけだ。」

鬼太郎《きたろう》がポイッとけとばすと、老人《ろうじん》は手《て》をのばして、

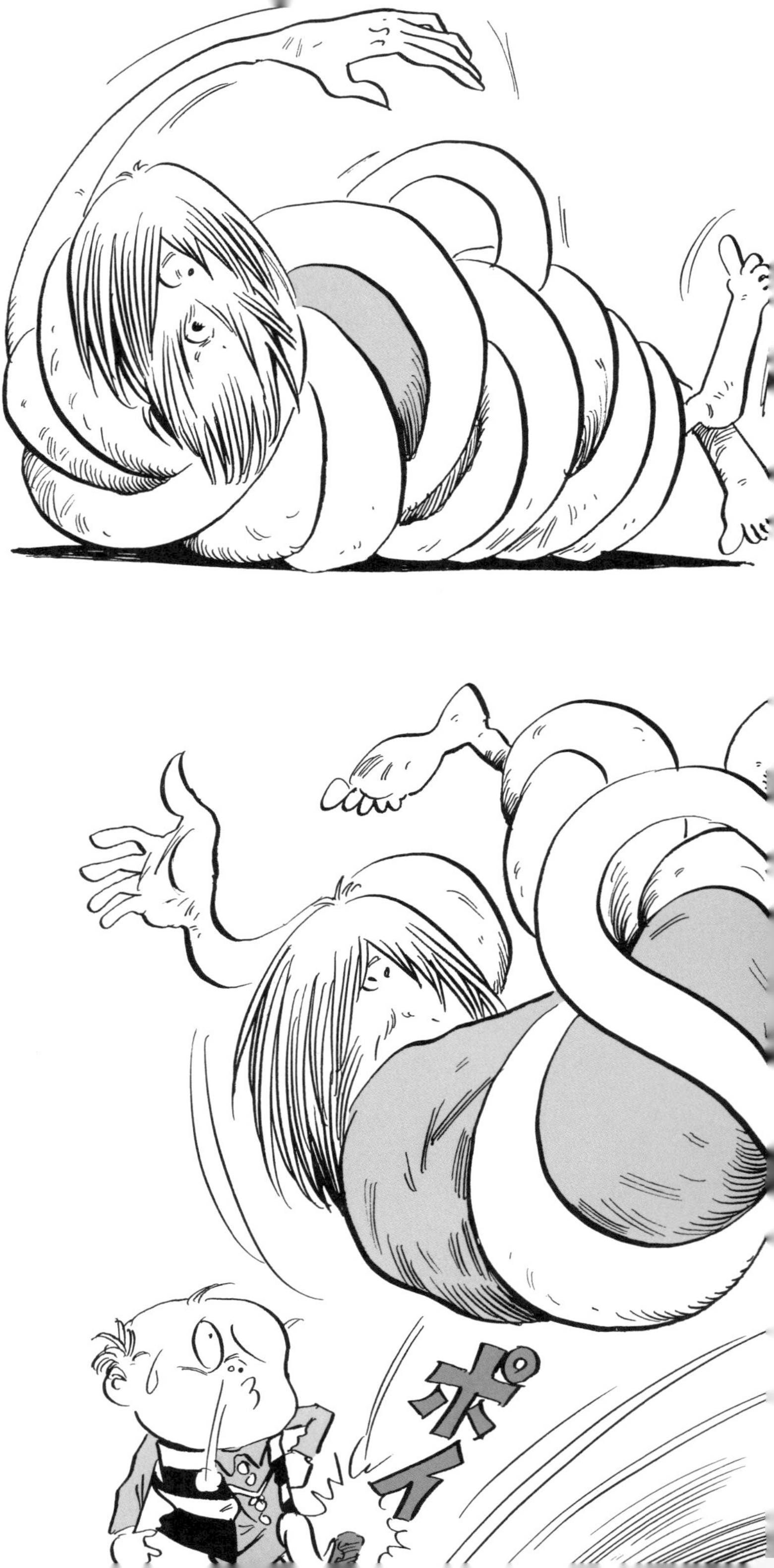

てんじょうからさがっているナワをひっぱりました。
ガラガラーッ。思《おも》いがけない石《いし》の雨《あめ》。

「どうだ、まいったか。まず、おまえのタマシイから、いただくかな。」
ところが、千年老人《せんねんろうじん》が石《いし》をどかすと、しまもようのトランクがあるだけです。
「おや？　このトランク、どこから食《た》べるのかな？」
と、とつぜん、ピューン！

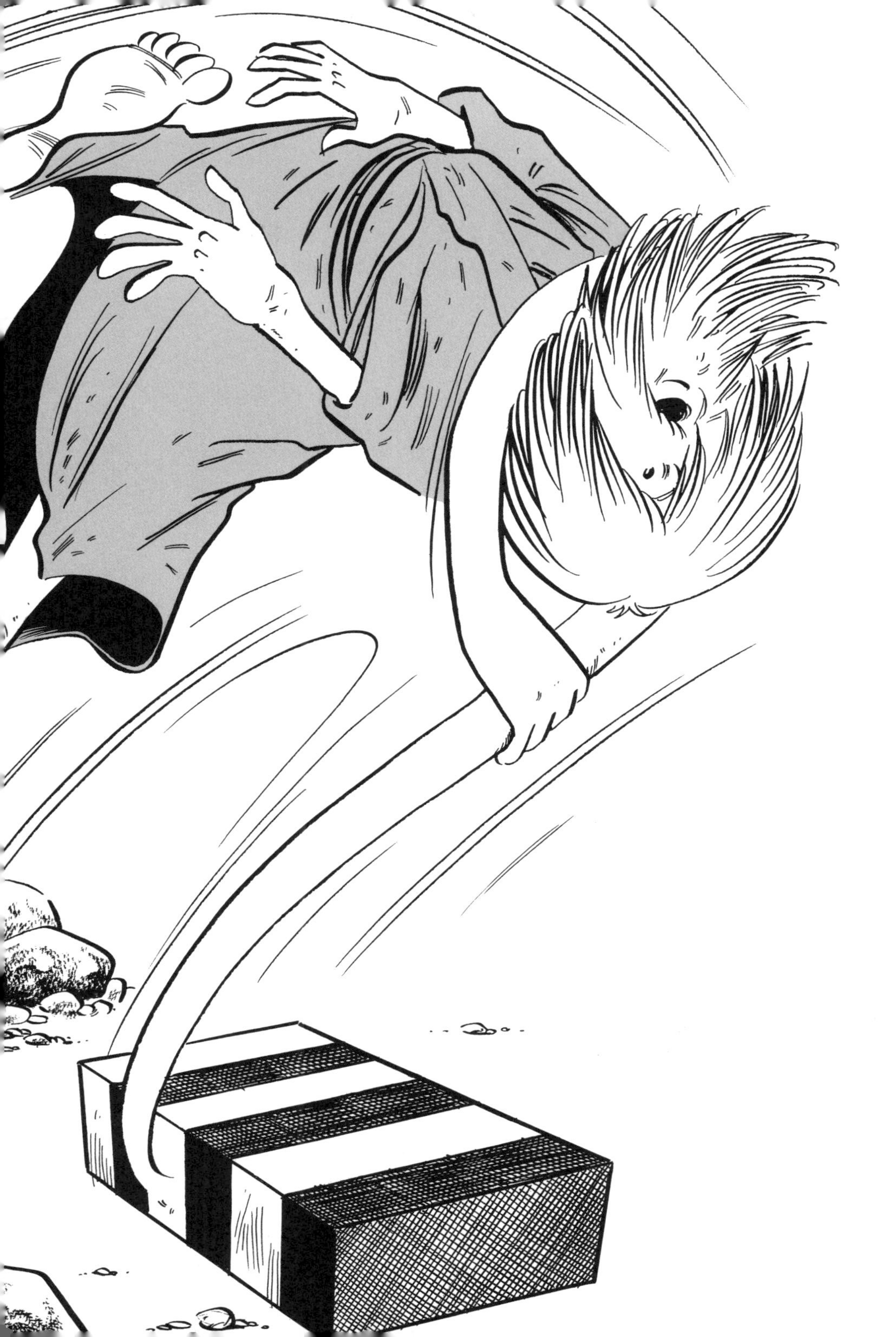

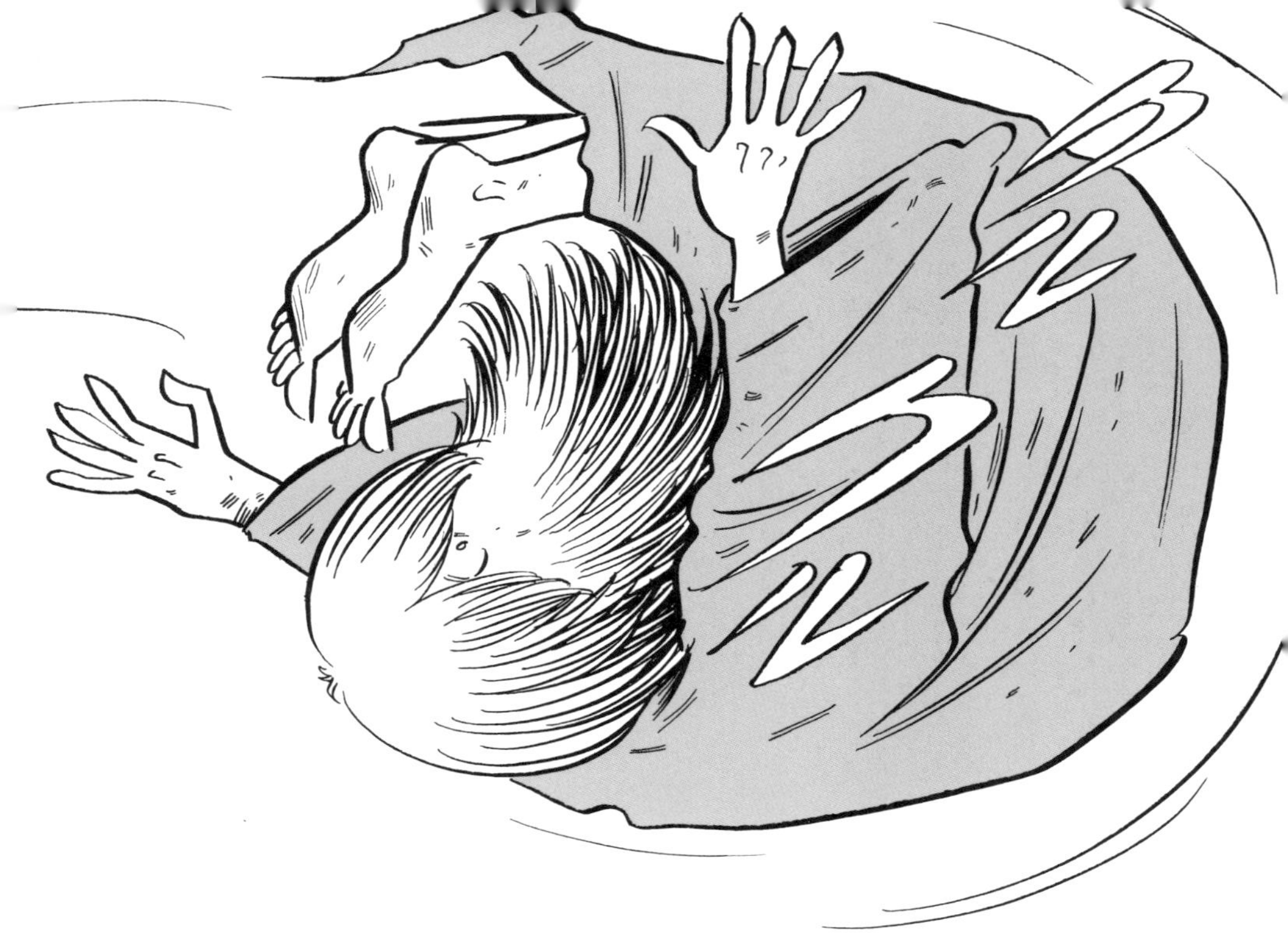

鬼太郎《きたろう》の手《て》がのびてきて、千年老人《せんねんろうじん》を地上《ちじょう》にほうりだしました。

千年老人《せんねんろうじん》は、太陽《たいよう》の光《ひかり》によわいのです。

ずーっ

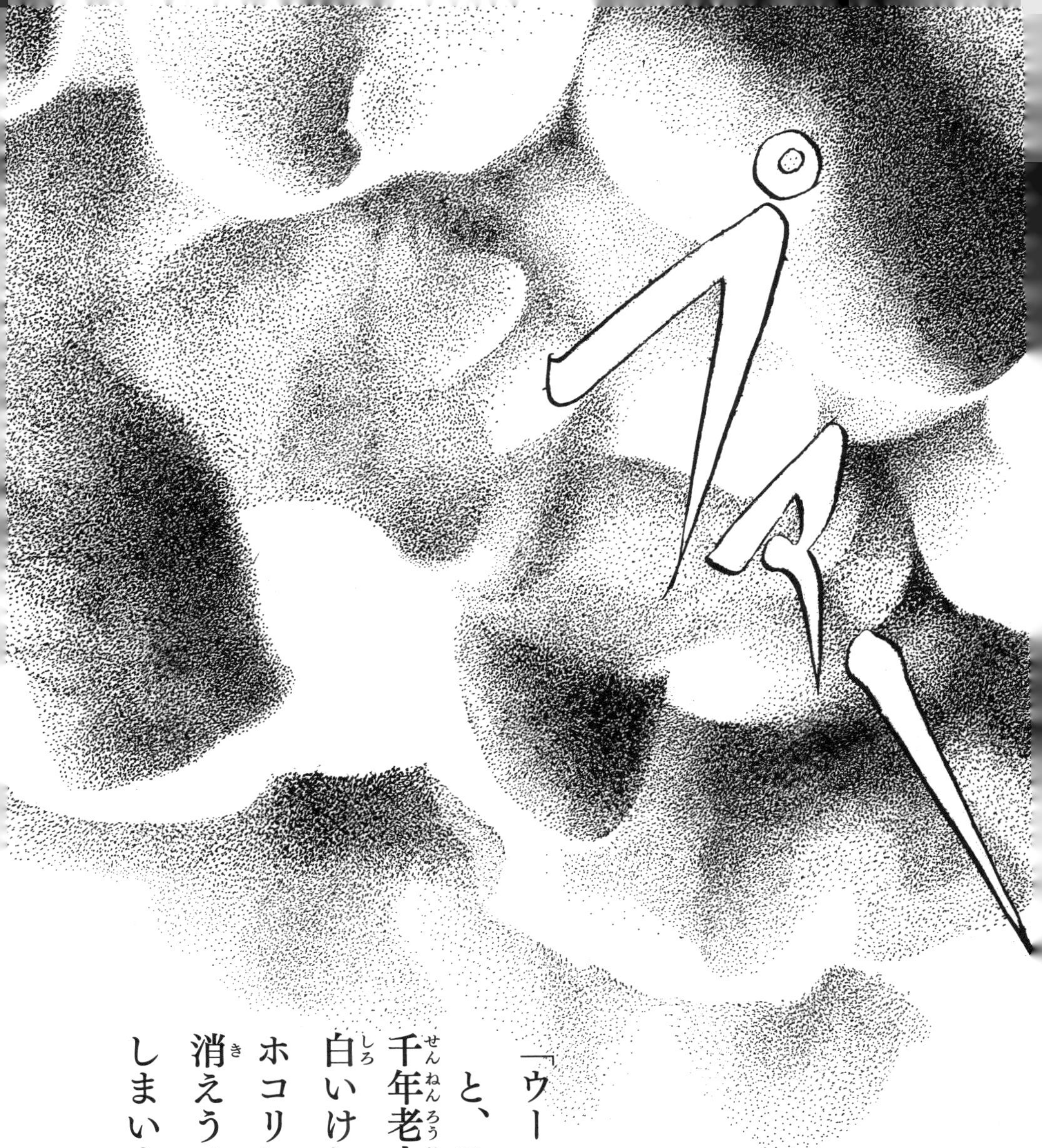

「ウーッ。」
と、ひと声《こえ》うなると、
千年老人《せんねんろうじん》は、
白《しろ》いけむりのような
ホコリになって、
消《き》えうせて
しまいました。

穴《あな》の奥《おく》から、豆《まめ》だぬきたちがゾロゾロと
出《で》てきて、鬼太郎《きたろう》のまわりに
あつまりました。
「鬼太郎《きたろう》さん、ありがとう。
おいらたちは、長《なが》いあいだ、この
千年老人《せんねんろうじん》に使《つか》われていたんだ。」
豆《まめ》だぬきたちは、はれて自由《じゆう》の
身《み》になったことを、たがいに、
よろこびあっています。

ねずみ男《おとこ》も、マイコンじゅくの先生《せんせい》も、助《たす》かりました。

鬼太郎《きたろう》がケン太《た》の口《くち》に、タマシイを入《い》れてやると、ケン太《た》は、もとどおり、元気《げんき》になりました。

ちょうしのいいねずみ男《おとこ》は、自分《じぶん》のことはタナにあげて、

「あまり、子《こ》どもに勉強《べんきょう》をおしつけないことですナ。ハハハハ……。」

などと言《い》います。

それからというもの、ケン太《た》の両親《りょうしん》は、ガミガミ言《い》わなくなったということです。

めでたし、めでたし。

水木しげる

1922年、鳥取県境港市出身。同市の高等小学校を出て大阪にゆき、いろいろな職業につきながら、いろいろな学校を出たり入ったりする。戦争で左腕を失う。著書には『ゲゲゲの鬼太郎』『悪魔くん』『河童の三平』『日本妖怪大全』などがある。

※本書は、1983年にポプラ社より刊行された『水木しげるのおばけ学校⑪　おばけマイコンじゅく』を再編集したものです。再編集にあたって、一部、現代の社会通念や人権意識からは不適切と思われる表現を修正しております。

おばけマイコンじゅく

新装版　水木しげるのおばけ学校⑪

2024年9月　第1刷

著　者　水木しげる
発行者　加藤裕樹
発行所　株式会社 ポプラ社
〒141-8210 東京都品川区西五反田 3-5-8
JR目黒 MARC ビル 12 階
ホームページ www.poplar.co.jp
印刷・製本　中央精版印刷株式会社
デザイン　野条友史（buku）
ロゴデザイン協力　BALCOLONY.

N.D.C.913 ／ 111P ／ 22cm ISBN 978-4-591-18276-5
P4184011